Direction de la publication : **Isabelle Jeuge-Maynart**
et Ghislaine Stora
Direction éditoriale : **Delphine Blétry & Catherine Maillet**
Édition : **Marion Pipart**
Direction artistique : **Emmanuel Chaspoul, assisté d'Anna Bardon**
Informatique éditoriale : **Philippe Cazabet**
Lecture-correction : **Joëlle Narjollet**
Couverture : **Véronique Laporte**
Fabrication : **Annie Botrel**

ISBN 978-2-03-588948-5

LES MINI LAROUSSE

Apéritifs
faciles & gourmands

LAROUSSE

21 rue du Montparnasse 75283 Paris Cedex 06

Sommaire

Mini-brochettes de champignons de Paris

POUR 12 MINI-BROCHETTES

PRÉPARATION : 20 min
CUISSON : 5 à 10 min

> huile végétale pour la friture
> 1 poivron vert
> 1 poivron rouge
> 500 g de petits champignons de Paris
> 2 œufs
> 2 c. à soupe de chapelure
> 1 c. à soupe de curry en poudre
> 1 c. à soupe de paprika
> sel et poivre

1. Emplissez une grande casserole à fond épais au tiers d'huile et faites chauffer à 180 °C.

2. Lavez les poivrons, ôtez les pépins et les membranes blanches, puis détaillez la chair en dés. Coupez les pieds terreux des champignons, lavez rapidement les chapeaux, puis essuyez-les. Dans un saladier, battez les œufs, puis salez et poivrez. Répartissez la chapelure dans deux assiettes creuses. Dans la première, mélangez-la avec le curry, dans la seconde, mélangez-la avec le paprika.

3. Enfilez deux ou trois champignons sur des piques en bois en alternant avec les dés de poivron. Trempez-les dans les œufs battus, égouttez-les légèrement, puis roulez-les dans l'une ou l'autre des assiettes de chapelure.

4. Plongez les brochettes dans l'huile chaude et laissez-les dorer 1 ou 2 minutes.

5. Égouttez sur du papier absorbant et servez.

Bruschettas espagnoles

POUR 12 BRUSCHETTAS

PRÉPARATION : 15 min

> 1 baguette de pain
> 2 gousses d'ail
> 5 tomates bien mûres
> 6 c. à soupe d'huile
>   d'olive
> sel et poivre

1. Préchauffez le gril du four.
2. Coupez 12 tranches de baguette de 1,5 cm d'épaisseur, puis faites-les dorer 2 minutes au four.
3. Pelez les gousses d'ail, coupez-les en deux dans la longueur, puis frottez-les longuement sur la surface de chaque tartine.
4. Coupez les tomates en deux, puis frottez-les sur la surface de chaque tartine de façon à ce qu'elles laissent un maximum de pulpe sur le pain. Salez, poivrez, arrosez d'huile d'olive et servez aussitôt.

Rouleaux de courgette et de pommes vertes

POUR 12 BOUCHÉES

PRÉPARATION : 20 min

> 3 courgettes
> 3 pommes granny-smith
> le jus de 1/2 citron
> 1 petit bouquet de ciboulette
> 1 c. à café de vinaigre balsamique
> 2 c. à soupe d'huile d'olive
> sel

1. Épluchez les courgettes, puis détaillez-les en lamelles très fines, à l'aide d'une mandoline, sans aller jusqu'au cœur.

2. Pelez les pommes, puis coupez-les en fins pétales. Arrosez ceux-ci de jus de citron pour éviter qu'ils noircissent.

3. Ciselez la ciboulette. Mettez-la dans un bol, avec le vinaigre balsamique et l'huile d'olive. Mélangez le tout. Salez. Arrosez les lamelles de courgette et de pomme avec la vinaigrette. Mélangez de nouveau.

4. Roulez les bandes de courgette sur elles-mêmes, puis placez joliment les pétales de pommes à l'intérieur. Servez.

Piques de tomates caramélisées au sésame

POUR 12 PIQUES

PRÉPARATION : 10 min
CUISSON : 5 min

> 150 g de sucre en poudre
> 12 tomates cerises
> 1 c. à soupe de graines de sésame

1. Dans une petite casserole, versez le sucre et 3 ou 4 cuillerées à soupe d'eau, puis faites chauffer à feu doux jusqu'à ce que le sucre soit dissous et commence à dorer. Retirez du feu.
2. Enfilez chaque tomate cerise sur une pique en bois. Enrobez-les de caramel, puis roulez-les dans les graines de sésame. Laissez refroidir et servez.

Canapés au raifort et au radis noir

POUR 12 CANAPÉS

PRÉPARATION : 10 min

> 1/2 concombre
> 1/2 radis noir
> 30 g de raifort
> 30 g de fromage frais à tartiner
> 12 mini-toasts
> 1 c. à café de baies roses

1. Lavez le concombre et le radis noir, puis, à l'aide d'une mandoline, détaillez-les en fines rondelles.
2. Mélangez ensemble le raifort et le fromage frais, puis tartinez les mini-toasts de cette préparation.
3. Garnissez les mini-toasts de 2 rondelles de concombre et de 1 rondelle de radis noir, parsemez de baies roses et servez.

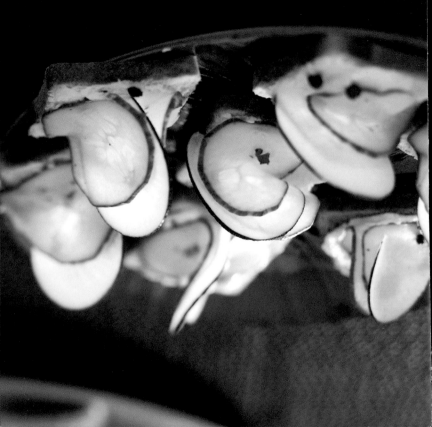

Mini-brochettes de polenta aux olives

POUR 12 MINI-BROCHETTES

PRÉPARATION : 10 min

CUISSON : 20 min

> 150 g d'olives vertes dénoyautées
> 200 g de semoule de maïs
> 3 c. à soupe d'huile d'olive
> sel et poivre

1. Réservez 12 olives dans un bol.

2. Portez à ébullition 75 cl d'eau salée. Versez la semoule de maïs et faites cuire environ 7 minutes, sans cesser de remuer. Lorsque la préparation commence à épaissir, ajoutez le reste des olives. Assaisonnez selon votre goût et continuez à mélanger jusqu'à ce que la préparation devienne compacte. Étalez-la en une couche de 2 cm d'épaisseur sur une feuille de papier sulfurisé ou sur une plaque de silicone, en lissant bien la surface. Laissez refroidir.

3. Découpez 24 petits cubes de polenta. Dans une poêle antiadhésive, faites chauffer l'huile d'olive, puis faites revenir les cubes de polenta 3 minutes sur toutes les faces, jusqu'à ce qu'ils soient bien dorés.

4. Enfilez-les sur des piques en bois en alternant avec les olives réservées, puis servez.

Mini-blinis au fromage frais, aux fèves et au piment

POUR 12 MINI-BLINIS

PRÉPARATION : 20 min

> 12 mini-blinis
> 140 g de fèves écossées
> 4 oignons nouveaux
> 50 g de fromage frais à tartiner
> 1 c. à café de piment d'Espelette
> 1 filet d'huile d'olive
> sel et poivre

1. Préchauffez le gril du four. Portez une grande casserole d'eau salée à ébullition.

2. Faites tiédir les blinis sous le gril du four. Faites cuire les fèves 3 minutes dans l'eau bouillante, puis passez-les sous l'eau fraîche. Émincez finement les oignons nouveaux.

3. Tartinez les blinis de fromage frais. Parsemez-les de fèves et de rondelles d'oignon, puis saupoudrez-les de piment d'Espelette. Salez, poivrez. Arrosez le tout d'huile d'olive, puis servez.

Allumettes au parmesan et au pavot

POUR 50 ALLUMETTES

PRÉPARATION : 10 min
CUISSON : 10 min

> 20 g de parmesan
> 1 pâte feuilletée prête à étaler
> 1 œuf
> 3 c. à soupe de graines de pavot

1. Préchauffez le four à 180 °C (therm. 6).
2. Râpez le parmesan. Étalez la pâte feuilletée sur le plan de travail, puis parsemez-la de parmesan. Repliez les quatre bords de la pâte vers le centre en les faisant se superposer pour enfermer le fromage. Aplatissez-la à nouveau avec précaution, à l'aide d'un rouleau à pâtisserie.
3. Dans un bol, battez l'œuf. Découpez des rectangles de pâte de 1 cm x 4 cm à l'aide d'une roulette à pizza. Badigeonnez-les d'œuf battu et saupoudrez-les de pavot. Enfournez pour 10 minutes.
4. Laissez les allumettes bien dorées refroidir sur une grille, puis servez-les à température ambiante.

Pitas au potimarron et au cantal

POUR 12 PITAS

PRÉPARATION : 15 min
CUISSON : 10 à 15 min

> 1/2 potimarron
> 15 g de beurre
> 200 g de cantal
> 3 pains pitas
> 2 c. à soupe d'huile de noix
> sel et poivre

1. Préchauffez le four à 200 °C (therm. 6-7).

2. Épluchez le potimarron, épépinez-le, puis détaillez-le en fines tranches. Dans une grande poêle, faites chauffer le beurre, puis faites revenir les tranches de potimarron 3 ou 4 minutes sur les deux faces.

3. Râpez le cantal. Coupez chaque pain pita en quatre et parsemez-les de cantal râpé. Disposez les tranches de potimarron. Salez et poivrez. Enfournez et faites cuire de 5 à 10 minutes, jusqu'à ce que le fromage soit fondu.

4. Arrosez les tartines d'huile de noix et servez sans attendre.

Mini-brochettes sucrées-salées

POUR 12 MINI-BROCHETTES

PRÉPARATION : 10 min

> 120 g de chèvre frais,
  un peu ferme
> 12 radis
> 12 abricots secs
> poivre

1. Façonnez des boulettes de fromage de chèvre dans le creux de vos mains, puis roulez-les dans du poivre et réservez au frais.

2. Lavez les radis et ôtez les fanes. Piquez-les ainsi que les abricots secs et les boulettes de fromage sur des piques en bois, puis servez.

Crackers à l'avocat et au mascarpone

POUR 12 CRACKERS

PRÉPARATION : 20 min

> 4 c. à soupe de graines de courge
> 6 c. à soupe de mascarpone
> 6 c. à soupe de fromage blanc
> 3 c. à soupe d'huile d'olive
> 3 avocats bien mûrs
> le jus de 1 citron
> 12 crackers de votre choix (au sarrasin, par exemple)
> 75 g de graines germées (de poireau et de radis, par exemple)
> sel et poivre

1. Dans une poêle antiadhésive, faites revenir les graines de courge. Réservez.

2. Dans un saladier, réunissez le mascarpone, le fromage blanc et l'huile d'olive. Assaisonnez de sel et de poivre, puis mélangez bien le tout.

3. Coupez les avocats en deux. Pelez-les et dénoyautez-les. Détaillez la chair en fines lamelles, puis arrosez celles-ci de jus de citron.

4. Tartinez généreusement les crackers de la préparation crémeuse, puis répartissez les lamelles d'avocat. Parsemez le tout de graines germées et de graines de courge torréfiées. Salez, poivrez. Servez sans attendre.

Mini-blinis au tarama maison

POUR 24 MINI-BLINIS

PRÉPARATION : 15 min

> 1 poche d'œufs
>   de cabillaud fumés
>   de 200 g
> 3 c. à soupe de crème
>   fraîche épaisse
> le jus de 1/2 citron
> 2 c. à soupe d'huile
>   d'olive
> 24 mini-blinis
> poivre

1. Préchauffez le gril du four.

2. Retirez les œufs de cabillaud de la poche. Dans le bol d'un robot, mélangez-les avec la crème fraîche, le jus de citron et l'huile d'olive. Mixez le tout jusqu'à obtenir une crème épaisse et lisse. Poivrez généreusement, puis mixez de nouveau – vous pouvez garder ce tarama au réfrigérateur pendant 1 semaine dans une boîte hermétique.

3. Faites tiédir les mini-blinis sous le gril du four. Tartinez-les de tarama maison et servez aussitôt.

Mini-brochettes
de saint-jacques au chorizo

POUR 12 MINI-BROCHETTES

PRÉPARATION : 15 min
CUISSON : 5 min

> 12 noix de saint-jacques
  parées
> 2 c. à soupe d'huile
  d'olive
> 3 c. à soupe de jus
  d'orange
> 120 g de chorizo doux
> poivre

1. Séchez les noix de saint-jacques avec du papier absorbant, puis mettez-les dans un bol avec l'huile d'olive et le jus d'orange. Coupez le chorizo en 24 tranches très fines.
2. Sur des piques en bois, enfilez chaque noix de saint-jacques entre deux tranches de chorizo.
3. Dans une poêle antiadhésive, faites griller les mini-brochettes 30 secondes de chaque côté. Assaisonnez d'un tour de moulin à poivre et servez.

Tartines de crabe, avocat et clémentine

POUR 12 TARTINES

PRÉPARATION : 15 min

> 2 gros avocats bien mûrs
> 1 c. à café de piment
>   d'Espelette
> 3 clémentines
> 100 à 125 g de chair
>   de crabe en conserve
> 1 poignée de feuilles
>   de basilic
> 6 tranches
>   de pain noir
> 1 c. à soupe d'huile
>   d'olive
> sel et poivre

1. À l'aide d'une cuillère, prélevez la chair des avocats, puis écrasez-la à la fourchette. Ajoutez la moitié du piment d'Espelette, salez, poivrez et mélangez bien le tout.
2. Épluchez les clémentines et divisez-les en quartiers. Égouttez la chair de crabe. Lavez les feuilles de basilic, puis ciselez-les.
3. Coupez les tranches de pain en deux de manière à obtenir des triangles, puis tartinez-les de la préparation à l'avocat. Déposez sur chacune 2 ou 3 quartiers de clémentine et répartissez le crabe et le basilic. Arrosez d'huile d'olive, saupoudrez du reste de piment d'Espelette et servez.

Piques de thon fumé, crème et petites pousses

POUR 12 PIQUES

PRÉPARATION : 10 min

> 200 g de thon fumé
> 3 c. à soupe de crème fraîche épaisse
> 1 barquette de petites pousses (de radis, par exemple)
> poivre

1. Coupez le thon fumé en morceaux.

2. Tartinez chacun d'eux de crème fraîche, puis garnissez de petites pousses. Disposez un deuxième morceau de thon, comme pour former un sandwich, et maintenez l'ensemble avec une pique. Assaisonnez d'un tour de moulin à poivre et servez.

Tartines de maquereau fumé et de radis roses

POUR 24 TARTINES

PRÉPARATION : 20 min

> 2 filets de maquereau fumé (environ 200 g)
> 100 g de fromage frais à tartiner
> 2 c. à soupe d'huile d'olive
> le jus de 1 citron
> 1/2 bouquet d'aneth
> 1 botte de radis roses
> 1 pain de seigle
> poivre

1. Dans un bol, émiettez le maquereau, mélangez-le au fromage frais, puis écrasez le tout à la fourchette – ou très rapidement au robot en conservant une texture assez épaisse. Incorporez l'huile d'olive et le jus de citron. Poivrez.

2. Lavez l'aneth, puis séchez-le. Lavez les radis, équeutez-les, puis taillez-les en fines rondelles. Coupez le pain de seigle en 12 tranches, puis recoupez chaque tranche en deux dans la diagonale.

3. Étalez la tartinade au maquereau sur les tranches de pain, puis disposez joliment les rondelles de radis et les brins d'aneth. Servez.

Club-sandwichs

POUR 12 CLUB-SANDWICHS

PRÉPARATION : 25 min

> 3 tranches de saumon fumé
> 3 tranches de jambon blanc
> 3 fines tranches d'emmental
> quelques brins d'aneth
> 24 tranches de pain de mie
> 3 c. à café de fromage frais à tartiner
> 10 g de beurre demi-sel
> 3 grandes feuilles de laitue
> sel et poivre

1. Préchauffez le gril du four.

2. Coupez les tranches de saumon, de jambon et d'emmental en deux. Rincez l'aneth et ciselez-le.

3. Faites dorer les tranches de pain de mie environ 3 minutes sous le gril du four, puis laissez-les refroidir.

4. À l'aide d'un ou de plusieurs emporte-pièces, prélevez 24 paires de formes dans le pain grillé. Tartinez 12 formes de pain de mie de fromage frais, sur le côté non grillé. Parsemez d'aneth, salez et poivrez, puis garnissez 6 d'entre elles d'1/2 tranche de saumon fumé. Disposez les 6 autres tranches tartinées de fromage dessus. Tartinez les 12 autres formes de beurre salé, puis poivrez-les. Garnissez 6 d'entre elles de 1/2 tranche de jambon, 1/2 feuille de laitue et 1/2 tranche de fromage, puis refermez les sandwichs avec les 6 autres formes beurrées.

5. Maintenez les 12 club-sandwichs avec des piques en bois et gardez-les au frais jusqu'au moment de servir.

Blinis aux œufs brouillés et aux œufs de saumon

POUR 12 MINI-BLINIS

PRÉPARATION : 15 min
CUISSON : 10 min

> 30 g de beurre
> 8 œufs très frais
> 2 c. à soupe de porto
> 12 mini-blinis
> 1 c. à soupe
  de ciboulette
> 1 pot d'œufs
  de saumon
> sel et poivre

1. Préchauffez le gril du four.
2. Coupez le beurre en petits morceaux.
Dans une casserole à fond épais, cassez
les œufs. Salez, poivrez, puis ajoutez la moitié
du beurre. Faites cuire à feu moyen, en
fouettant constamment, jusqu'à ce que
les œufs prennent une consistance crémeuse.
Retirez du feu et incorporez le beurre restant.
Versez le porto, puis fouettez encore quelques
instants.
3. Faites tiédir les mini-blinis sous le gril du four.
4. Lavez la ciboulette et ciselez-la. Garnissez
les blinis de 1 cuillerée à café d'œufs brouillés,
puis parsemez d'œufs de saumon et
de ciboulette. Servez.

Roulés de poulet au fromage

POUR 12 PIQUES

PRÉPARATION : 15 min
CUISSON : 10 min

> 4 fines escalopes
  de poulet
> 2 boules de mozzarella
  de 125 g chacune
> 1 c. à café de piment
  d'Espelette + pour servir
> 1 c. à soupe d'huile
  d'olive
> sel

1. Sur le plan de travail, aplatissez les escalopes de poulet au rouleau à pâtisserie, puis égalisez les bords. Détaillez la mozzarella en bâtonnets. Disposez-en le quart sur chaque escalope. Salez et saupoudrez de piment d'Espelette. Roulez les escalopes très serrées et maintenez-les avec des bâtonnets en bois.
2. Dans une poêle, faites chauffer l'huile d'olive, puis poêlez les 4 rouleaux de poulet sur toutes leurs faces pendant 10 minutes, jusqu'à ce qu'ils soient bien dorés et cuits au centre.
3. Coupez chaque rouleau en 3 tronçons et maintenez ceux-ci avec des piques en bois. Assaisonnez de sel et de piment d'Espelette, puis servez aussitôt.

Bouchées de foie gras en panure de pain d'épices

POUR 12 BOUCHÉES

PRÉPARATION : 10 min
CUISSON : 12 min

> 25 tranches de pain d'épices
> 1/2 c. à café de poivre
> 1/2 c. à café de quatre-épices
> 200 g de foie gras cuit (entier ou en bloc)

1. Préchauffez le four à 180 °C (therm. 6) et tapissez une plaque de cuisson de papier sulfurisé.

2. Coupez le pain d'épices en morceaux, puis mettez ceux-ci dans le bol d'un robot avec le poivre et le quatre-épices. Mixez le tout jusqu'à obtenir une chapelure. Étalez celle-ci sur la plaque de cuisson et enfournez pour 12 minutes. Laissez refroidir.

3. Coupez le foie gras en dés de 2 cm de côté, puis passez ceux-ci dans la panure en pressant bien pour la faire adhérer. Servez aussitôt.

Tartines de magret, pommes et tête de moine

POUR 12 TARTINES

PRÉPARATION : 15 min

> 50 g de noix
> 3 pommes acidulées
> 12 tranches de pain de campagne
> 24 tranches de magret de canard séché
> 24 rosettes de tête de moine
> 2 c. à soupe d'huile d'olive
> 1 c. à soupe d'huile de noix
> sel et poivre

1. Préchauffez le gril du four.

2. À l'aide d'un gros couteau, concassez les noix. Lavez les pommes et coupez-les en fines lamelles. Faites dorer les tranches de pain sous le gril du four.

3. Garnissez les tartines de 2 tranches de magret de canard, puis répartissez les lamelles de pomme, les rosettes de fromage et les noix. Arrosez d'huile d'olive et d'huile de noix. Salez, poivrez et servez sans attendre.

Brochettes de jambon cru, figues et melon

POUR 12 BROCHETTES

PRÉPARATION : 15 min

> 1 gros melon
> 6 tranches fines
   de jambon cru
> 6 figues
> 1 petit bouquet
   de menthe
> sel et poivre

1. Coupez le melon en deux et épépinez-le. À l'aide d'une cuillère à melon, prélevez des billes de chair.

2. Coupez les tranches de jambon en trois et les figues en quatre. Lavez la menthe et effeuillez-la.

3. Sur des piques en bois, répartissez les billes de melon, les morceaux de jambon et de figue ainsi que les feuilles de menthe. Salez, poivrez et servez.

Tartines de jambon de Parme à la ricotta

POUR 12 TARTINES

PRÉPARATION : 25 min

> 6 tranches de jambon de Parme
> 12 abricots secs moelleux
> 12 figues sèches
> 6 pruneaux
> 12 tranches de pain aux fruits secs
> 50 g de noisettes
> 250 g de ricotta
> 1 c. à soupe de vinaigre balsamique
> 1 c. à soupe d'huile de noisette
> 3 c. à soupe d'huile d'olive
> sel et poivre

1. Préchauffez le gril du four.

2. Coupez les tranches de jambon en deux dans la longueur. Détaillez grossièrement les abricots, les figues et les pruneaux en morceaux. À l'aide d'un gros couteau, concassez les noisettes.

3. Placez les tranches de pain sous le gril du four. Dans une poêle antiadhésive à feu vif, faites dorer les noisettes pendant 3 minutes.

4. Dans un bol, fouettez la ricotta à l'aide d'une fourchette. Salez, poivrez. Versez le vinaigre balsamique et l'huile de noisette, puis mélangez bien le tout.

5. Garnissez les tartines dorées de préparation à la ricotta, puis parsemez-les de noisettes grillées. Disposez 1/2 tranche de jambon sur chacune et répartissez les morceaux de fruits secs. Salez et poivrez. Arrosez les tartines d'huile d'olive et servez.

Asperges roulées au bacon

POUR 12 ASPERGES

PRÉPARATION : 10 min
CUISSON : 10 min

> 12 asperges vertes
> 12 tranches de bacon
> 1 poignée de graines
  de sésame

1. Portez une grande casserole d'eau salée à ébullition. Épluchez les asperges, puis cassez leur extrémité fibreuse. Plongez-les dans l'eau bouillante et laissez-les cuire 5 minutes. Égouttez-les sur du papier absorbant et laissez-les refroidir.
2. Enveloppez chaque asperge d'une tranche de bacon, puis faites-les revenir rapidement dans une poêle antiadhésive, jusqu'à ce que le bacon commence à dorer.
3. Parsemez le tout de graines de sésame et dégustez sans attendre.

Piques du Pays basque

POUR 12 PIQUES

PRÉPARATION : 15 min

> 6 tranches fines
> de viande des Grisons
> 200 g de pâte de coing
> (dans les épiceries bio)
> 100 g de manchego
> ou d'ossau-iraty
> (fromage au lait
> de brebis)
> 1 c. à café de piment
> d'Espelette

1. Coupez les tranches de viande des Grisons en deux. Coupez la pâte de coing en trois dans l'épaisseur, puis, à l'aide d'un emporte-pièce, prélevez des portions de pâte. Procédez de la même manière avec le manchego ou l'ossau-iraty.
2. Superposez 1 tranchette de viande des Grisons, 1 morceau de pâte de coing et 1 autre de fromage, puis maintenez chaque montage avec une pique à cocktail. Saupoudrez le tout de piment d'Espelette et servez.

Mini-hamburgers

POUR 12 MINI-HAMBURGERS

PRÉPARATION : 20 min
CUISSON : 10 min

> 6 pains à hamburgers
> 6 steaks hachés
> 12 tranches
>   de cheddar
> 2 oignons rouges
> 12 tranches de bacon
> sel et poivre

1. Préchauffez le gril du four.
2. À l'aide d'un emporte-pièce, prélevez
2 disques dans chaque pain à hamburger.
Coupez les steaks en deux, puis confectionnez
des petits steaks de la taille des disques
de pain. Coupez les tranches de cheddar
en deux. Épluchez les oignons et coupez-les
en très fines rondelles.
3. Faites dorer les disques de pain à hamburger
2 minutes sous le gril du four. Dans une poêle
antiadhésive, faites griller les tranches
de bacon 5 minutes à feu vif. Dans une autre
poêle antiadhésive, faites cuire les steaks selon
votre goût. Salez et poivrez.
4. Sur 12 disques de pain, superposez
1 morceau de cheddar, 1 tranche de bacon grillé,
1 petit steak, 1 autre morceau de cheddar,
1 rondelle d'oignon et 1 disque de pain restant,
en guise de chapeau. Maintenez le tout avec
des piques en bois.
5. Servez aussitôt ou faites réchauffer
les mini-hamburgers rapidement au four
avant de les servir.

Crédits photographiques

Crédits textes

TABLE DES ÉQUIVALENCES FRANCE – CANADA

Poids	55 g	100 g	150 g	200 g	250 g	300 g	500 g	750 g	1 kg
	2 onces	3,5 onces	5 onces	7 onces	9 onces	11 onces	18 onces	27 onces	36 onces

Ces équivalences permettent de calculer le poids à quelques grammes près
(en réalité, 1 once = 28 g).

Capacités	5 cl	10 cl	15 cl	20 cl	25 cl	50 cl	75 cl
	2 onces	3,5 onces	5 onces	7 onces	9 onces	17 onces	26 onces

Pour faciliter la mesure des capacités, une tasse équivaut ici à 25 cl
(en réalité, 1 tasse = 8 onces = 23 cl).

Photogravure Turquoise, Émerainville
Imprimé en Italie par Lego, Vicenza
Dépôt légal : janvier 2013 – 310776/01 – 11021084 octobre 2012